胡萝卜

［美］阿伦·雷诺兹 文

［美］彼得·布朗 图

杨玲玲　彭　懿 译

兔子贾斯珀爱死了胡萝卜。

长在跳跳沟的胡萝卜是最好的。

又肥又脆，还可以随便拔。

上学的路上，
他拔几根当早点。

去少年棒球俱乐部训练的路上，
他也拔几根边走边吃。

晚上回家的路上，
他又把胡萝卜从地里狠狠地拽出来好多。

……直到他们开始跟踪他。

他第一次发现事情有点奇怪，
是在和东古野兔队比赛之后。
贾斯珀正要给自己来点庆祝胜利的点心，
这时，他听到了一阵轻轻的、恐怖的、
鬼鬼祟祟的咔嚓咔嚓咔嚓声。

他转过身去一看……

那里什么都没有。

他想，只是我的想象吧。
于是他跳得更快了一点。

那天晚上，他正在刷牙，
他们**又来了！**

但是贾斯珀猛地转过身去……什么都没有。
他嘲笑自己，捡起掉在地上的牙刷，
然后去睡觉……动作快到不行。

他伸手抓了两根胡萝卜。
什么都没有发生。

他咬了一根。
什么都没有发生。

嘿！有胡萝卜怪……**太荒唐了！**

可是，那天晚上他回到家里……

"妈妈！妈妈！"贾斯珀尖叫起来。
"胡萝卜怪！在小屋子里！"

妈妈慢慢地打开门，里面没有什么胡萝卜怪。
连普通的胡萝卜也没有。

妈妈摇了摇头说：
"没有胡萝卜怪这种东西。"

那天深夜，贾斯珀躺在床上的时候，他听到了一种声音。

一种**呼吸声**。

可怕的、胡萝卜颜色的呼吸声。

在那里！在他的墙上！

"胡萝卜怪！"他大叫起来。
"爸爸！爸爸！"

爸爸猛地冲进他的卧室，
打开了灯。

他们搜查了床底下，没有胡萝卜怪。

他们仔细查看了壁橱，
没有胡萝卜怪。

他们打开了梳妆台的抽屉。

没有

胡萝卜

怪。

"儿子，你只是做了一个噩梦，"
爸爸摇了摇头说，
"现在去睡觉吧。"

世界上是绝对绝对
没有胡萝卜怪的！

到了周末，

贾斯珀看到

到处都是鬼鬼祟祟的胡萝卜怪。

到处都是啊！

贾斯珀知道爸爸妈妈错了。
真的有胡萝卜怪，
他们是冲他来的！

不过，要是胡萝卜怪出不来，
他们就没办法抓到他了……

贾斯珀制定了一个秘密计划。
星期六，他做的第一件事，
就是拿着各种工具，
直奔跳跳沟而去。

当夕阳终于洒在跳跳沟上时，
贾斯珀露出了得意的微笑。

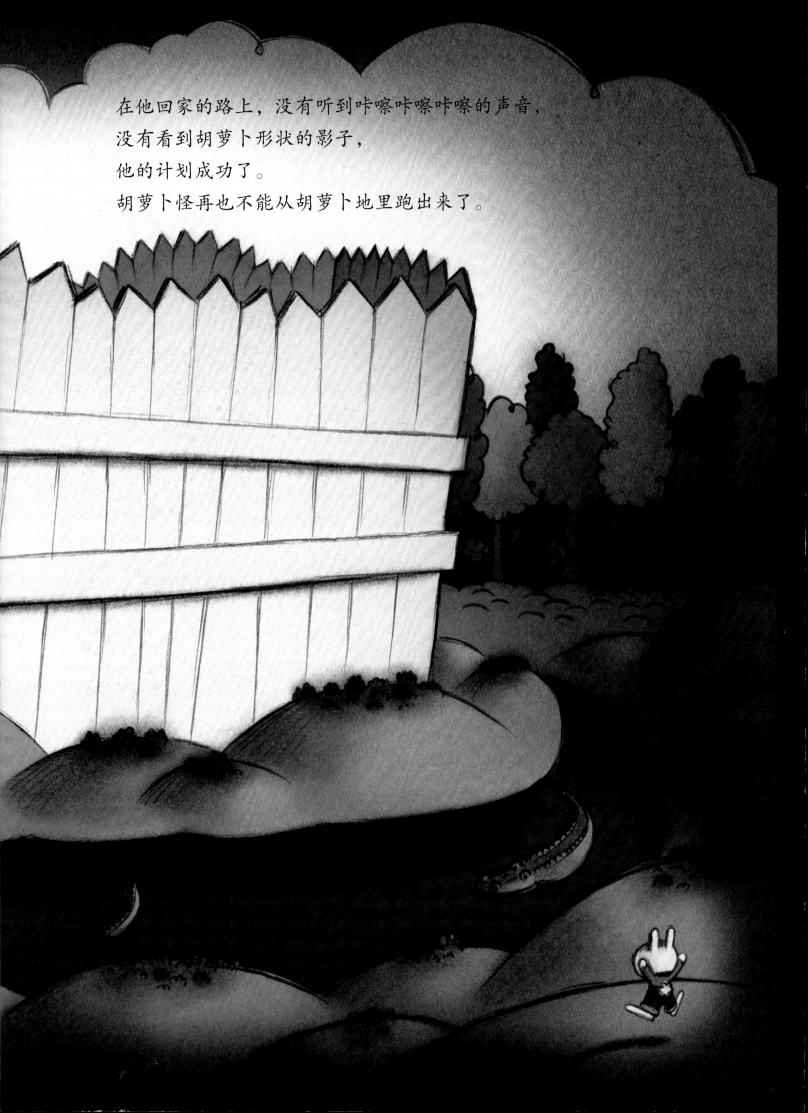

在他回家的路上，没有听到咔嚓咔嚓咔嚓的声音，
没有看到胡萝卜形状的影子，
他的计划成功了。
胡萝卜怪再也不能从胡萝卜地里跑出来了。

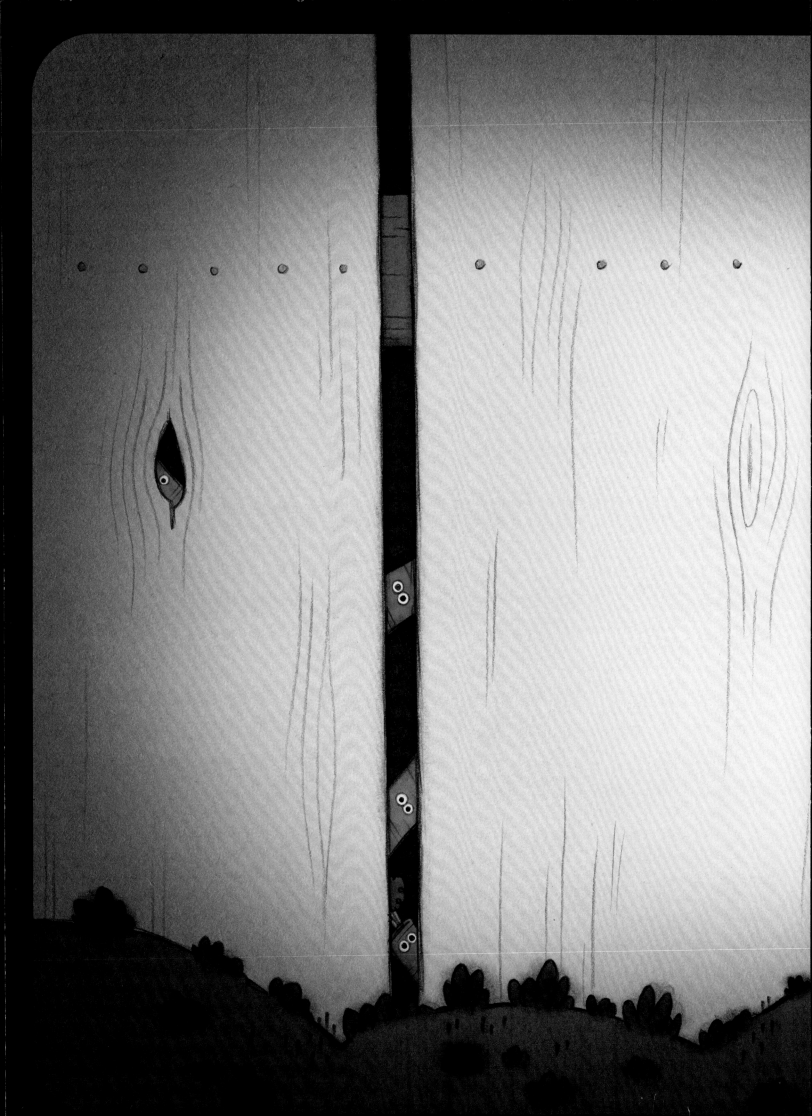

当太阳完全落下山去的时候，
跳跳沟的胡萝卜……

他们的吓人计划成功了。
他们确信，兔子贾斯珀
再也不会到跳跳沟的胡萝卜地里来了。

献给保罗·罗丹
——阿伦·雷诺兹

献给安德鲁和克里斯汀
——彼得·布朗

图书在版编目（CIP）数据

胡萝卜怪 /（美）雷诺著 ；（美）布朗绘；杨玲玲，彭懿译.
— 贵阳：贵州人民出版社，2014.5
ISBN 978-7-221-11926-1

Ⅰ．①胡… Ⅱ．①雷… ②布… ③杨… ④彭… Ⅲ．①儿童文学—图画故事—美国—现代 Ⅳ．①I712.85

中国版本图书馆CIP数据核字(2012)第076330号

胡萝卜怪

文 / [美]阿伦·雷诺兹
图 / [美]彼得·布朗
译 / 杨玲玲　彭　懿
策划 / 远流经典
执行策划 / 颜小鹂
责任编辑 / 苏　桦　颜小鹂
美术编辑 / 刘　洋　责任印制 / 于翠云
出版发行 / 贵州出版集团　贵州人民出版社
地址 / 贵阳市观山湖区会展东路SOHO办公区A座
电话 / 010-85805785（编辑部）
印刷 / 北京华联印刷有限公司（010-87110703）
版次 / 2014年6月第一版　印次 / 2017年4月第五次印刷
成品尺寸 / 228.5mm×305mm　印张 / 2.5　定价 / 29.80元
蒲公英童书馆官方微博 / weibo.com/poogoyo
蒲公英童书馆微信公众号 / pugongyingkids
蒲公英童书馆 / www.poogoyo.com
蒲公英检索号 / 140020100